D0208244

# L'étrange
# palais de glace

L'auteur : **Mary Pope Osborne** a écrit plus de quarante
livres pour la jeunesse récompensés par de nombreux
prix. Elle vit à New York avec son mari, Will, et Bailey,
un petit terrier à poil long. Tous trois aiment retrouver
le calme de la nature, dans leur chalet en Pennsylvanie.

L'illustrateur : **Philippe Masson**, né à Rennes en 1965,
est issu d'une famille de marins bretons. Actuellement,
il vit à Tours avec son amie, et il a deux enfants, Lucas
et Mona. Il réalise également les dessins de la série
« Les 39 clés » et a réalisé ceux de la série « Le château
magique » aux Éditions Bayard.

*Pour Sal Murdocca, le Maître du merveilleux.*

Titre original : *Winter of the Ice Wizard*
© Texte, 2004, Mary Pope Osborne.
Publié avec l'autorisation de Random House Children's Books,
un département de Random House, Inc., New York, New York, USA.
Tous droits réservés.
Reproduction même partielle interdite.
© 2007, Bayard Éditions Jeunesse pour la traduction française
et les illustrations.
© 2009, Bayard Éditions
© 2017, Bayard Éditions
Troisième édition – Septembre 2018

Illustration de couverture et illustrations intérieures : Philippe Masson.
Colorisation de la couverture : Paul Siraudeau.

Loi n° 49-956 du 16 juillet 1949
sur les publications destinées à la jeunesse.
Dépôt légal : mai 2007 – ISBN : 978-2-7470-2185-2
Imprimé en Espagne par Novoprint

# L'étrange
# palais de glace

Mary Pope Osborne

Traduit et adapté de l'américain
par Marie-Hélène Delval

Illustré par Philippe Masson

bayard jeunesse

# Léa

**Prénom :** Léa

**Âge :** sept ans

**Domicile :** près du Bois de Belleville

**Caractère :** espiègle et curieuse

**Signes particuliers :** ne manque jamais une occasion d'entraîner son frère Tom dans des aventures mouvementées, sans se soucier du danger.

# Tom

**Prénom** : Tom

**Âge** : neuf ans

**Domicile** : près du Bois de Belleville

**Caractère** : studieux et sérieux

**Signes particuliers** : aime beaucoup
les livres, qui l'aident à se sortir
de situations périlleuses.

# Les vingt~six premiers voyages de Tom et Léa

Tom et Léa ont découvert dans le bois de Belleville, perchée en haut d'un chêne, une cabane pleine de livres. C'est une

## cabane magique !

Elle appartient à la fée Morgane, une magicienne et une célèbre bibliothécaire qui voyage à travers le temps et l'espace pour rassembler des livres.

Nos deux jeunes héros ont déjà vécu des **aventures extraordinaires** ! Il leur suffit d'ouvrir un livre, de poser le doigt sur une image en souhaitant se trouver à l'endroit représenté, et ils y sont aussitôt transportés !

Dans les derniers épisodes, le magicien Merlin a envoyé Tom et Léa dans des lieux légendaires.

## Souviens-toi :

dans le tome précédent, les enfants étaient chargés de retrouver l'Épée de Lumière. Ils ont dû traverser la grotte de la Reine Araignée, entrer dans la crique des Tempêtes et affronter le Vieux Fantôme Gris !

Tom et Léa
partent pour le
Pays-Au-Delà-Des-Nuages

retrouver
le bâton
de Merlin !

**Sauront-ils** éviter tous les dangers ?

**Lis vite**
ce nouveau « Cabane Magique »
et ne tremble pas devant
le terrible Sorcier de l'Hiver !

Prêt à suivre Tom et Léa
dans leurs dangereuses aventures ?

Bon
voyage !

# 1

# Le solstice d'hiver

Le vent siffle derrière les carreaux. Bien au chaud dans la cuisine, Tom et Léa fabriquent des petits gâteaux de Noël avec leur maman. Ils découpent la pâte en forme d'étoile ou de sapin.

– Oh ! s'exclame Léa. Il neige ! Si on allait jouer dehors ?

Tom se tourne vers la fenêtre : de gros flocons tombent du ciel gris. Il secoue la tête :

– Il est trop tard, il fait déjà presque nuit.

– C'est le premier jour de l'hiver, observe leur maman, le jour le plus court de l'année.

Tom sursaute :

– Tu veux dire le… solstice d'hiver ?

– Exactement !

– Le solstice d'hiver ? répète Léa en ouvrant de grands yeux.

– Eh bien… oui ! fait leur mère, étonnée de leur réaction.

Les enfants échangent un regard. L'été précédent, Merlin, le magicien, les a appelés à l'aide le jour du solstice d'été. Peut-être a-t-il de nouveau besoin d'eux aujourd'hui ?

Tom s'essuie les mains et déclare :

– Léa a raison, on pourrait aller jouer un peu dans la neige ; hein, maman ?

– Si vous voulez. Les sablés sont prêts à être enfournés. Mais ne restez pas trop longtemps dehors !

– Promis, maman !

Tom et Léa se précipitent dans l'entrée. Ils enfilent leur doudoune, mettent un bonnet, des moufles, une écharpe, des bottes.

Ils sortent de la maison. Ils traversent le jardin en courant, remontent la rue et prennent le sentier du bois.

À la lisière de la forêt, Tom s'arrête. Que c'est beau ! Les branches des arbres sont toutes saupoudrées de blanc.

Léa désigne alors des traces de pas, celles de deux personnes marchant côte à côte :

– Regarde !

– Oh ! fait Tom. Dépêchons-nous ! Si la cabane magique est réapparue, il ne veut pas que quelqu'un d'autre la trouve ! Il attrape la main de sa sœur, et ils suivent la piste en hâte.

– Attention ! souffle soudain Léa.

Et elle entraîne Tom derrière le tronc d'un arbre.

À travers la neige qui tombe, les enfants distinguent deux silhouettes enveloppées dans de longs manteaux à capuchon. Elles se dirigent vers le plus haut chêne. À la cime de ce chêne est perchée la cabane magique, et on dirait que ces individus l'ont découverte !

Le garçon crie :

– Hé, vous, là-bas !

Lui et Léa s'élancent. Ils dérapent dans la neige, se rattrapent de justesse. Le temps qu'ils arrivent au pied de l'arbre, les mystérieux personnages ont déjà escaladé l'échelle et ont disparu à l'intérieur de la cabane.

– Hé ! lance Tom. Descendez !

– C'est notre cabane ! gronde Léa. Sortez de là !

Deux têtes apparaissent à la fenêtre, celle d'un garçon rouquin au visage piqueté de taches de rousseur et celle d'une fille aux yeux bleu marine et aux longs cheveux noirs. En voyant Tom et Léa, ils se mettent à rire.

– On vous cherchait, dit le garçon. Eh bien, on vous a trouvés !

– Teddy ! Kathleen ! s'écrie Léa. De dos, on ne vous avait pas reconnus !

Teddy est un jeune sorcier qui travaille dans la bibliothèque de Morgane, à Camelot. Kathleen est une Selkie, une magicienne, elle aussi. Comme toutes les Selkies, elle est humaine sur la terre, et devient un phoque dans la mer. Elle a beaucoup aidé les enfants lors de leur dernière mission, le jour du solstice d'été[1]. Tom est stupéfait. Il n'aurait jamais imaginé rencontrer un jour dans le Bois de Belleville leurs amis du royaume du roi Arthur !

[1] Lire le tome 26, *À la recherche de l'Épée de Lumière*.

– Comment êtes-vous arrivés jusqu'ici ?
demande-t-il.

– Montez ! On va vous raconter !

Tom et Léa se dépêchent d'escalader
l'échelle de corde. À peine arrivée dans la
cabane, Léa se jette au cou des jeunes
gens :

– Vous, ici ! Chez nous ! Je n'arrive pas
à y croire !

La Selkie est rayonnante :

– Tom ! Léa ! Que je suis heureuse de vous revoir !

– Ça me fait plaisir aussi, lui assure le garçon en rougissant.

À ses yeux, Kathleen est la plus jolie fille de la Terre. Même métamorphosée en phoque, elle restait infiniment gracieuse.

– On voulait vous voir, explique Teddy. La cabane magique nous a déposés en haut de ce chêne. On est descendus, et on a marché dans les bois jusqu'à une route.

– Mais des monstres passaient sans arrêt ! raconte Kathleen. Une énorme bête rouge nous a frôlés en bramant plus fort qu'une horde de cerfs !

– Puis c'est une créature toute noire, avec de gros yeux jaunes, qui a failli nous renverser, renchérit Teddy. Alors, on a préféré retourner à la cabane.

Léa éclate de rire :

– Ce n'étaient pas des monstres, c'étaient des voitures !

– Des voitures ? répète Teddy.

– Oui. Ça roule grâce à un moteur. On monte dedans et…

– C'est quoi, un moteur ?

– C'est… euh… trop compliqué à expliquer. Dites-nous plutôt pourquoi vous avez besoin de nous !

– On a trouvé un message pour vous chez Merlin, et on a décidé de vous l'apporter nous-mêmes.

Teddy tire de son manteau une pierre grise et la tend à Tom :

– Tenez, le voilà !

Le texte est écrit en lettres minuscules. Tom le lit à haute voix :

*À Tom et Léa, du Bois de Belleville.*
*Mon Bâton de Pouvoir m'a été volé.*
*En ce jour du solstice d'hiver,*
*Partez pour le Pays-Au-Delà-Des-Nuages !*
*Marchez en direction du soleil couchant*
*Et retrouvez mon bâton, ou tout sera perdu.*

*Merlin.*

– Wouah ! souffle Léa. Ça a l'air sérieux.

– Oui, dit Tom. Mais pourquoi Merlin n'a-t-il pas envoyé le message lui-même, comme d'habitude ?

– Nous l'ignorons, répond Teddy. Nous ne l'avons pas vu depuis des jours. La semaine dernière, je suis allé chercher Kathleen à la crique des Selkies pour la ramener à Camelot, où elle devait devenir aide-bibliothécaire. À notre retour, Merlin et Morgane avaient disparu. Où sont-ils partis ? Mystère !

– Tout ce que nous avons trouvé, enchaîne Kathleen, c'est cette pierre.

– Oui, et j'ai pensé que, si Merlin revenait, il serait heureux d'avoir de nouveau son bâton, qui contient une magie puissante et très ancienne.

Tom et Léa approuvent de la tête, la mine grave.

– D'après le message, murmure Tom, nous devons nous rendre dans le Pays-Au-Delà-Des-Nuages. Où est-ce ?

– Au nord de ma crique, dit Kathleen. Je ne suis jamais allée aussi loin.

– Moi non plus, avoue Teddy. Mais j'ai lu dans les livres de Morgane que c'était un grand désert gelé.

– Kathleen et toi, vous nous accompagnerez ? s'enquiert Léa.

– Bien sûr ! déclare la Selkie.

– Super ! s'exclament Tom et Léa d'une seule voix.

– À quatre, rien ne nous résiste, n'est-ce pas ? s'enthousiasme Teddy.

– Ça, c'est vrai ! approuve Léa.

« Espérons-le ! » pense Tom.

Léa pose son doigt sur les mots Pays-Au-Delà-Des-Nuages, puis elle regarde les autres :

– Vous êtes prêts ?

– Oui ! s'écrie Kathleen.

– Je suppose que oui, soupire Tom.

– En route ! lance le jeune magicien.

– Nous souhaitons être transportés ici ! clame Léa.

La cabane se met à tourner.

Elle tourne plus vite, de plus en plus vite ; le vent hurle.

Puis tout s'arrête, tout se tait.

# 2

# Le Pays~
# Au~Delà~Des~Nuages

Les enfants courent à la fenêtre. Un vent glacial leur mord les joues.

La cabane ne s'est pas posée sur un arbre, mais au sommet d'une butte neigeuse. Des arbres, dans toute cette blancheur, on n'en voit pas un seul ! Ce n'est qu'une vaste plaine recouverte de neige, avec des collines à l'horizon.

– Les li… livres que j'ai lus disaient vrai, constate Teddy en claquant des dents. C'est un grand désert gelé !

– Ce pays est très beau, intervient

Kathleen. Ici vit le peuple des phoques du Nord.

– Wouah ! fait Léa.

Tom enfonce les mains au fond de ses poches. Lui, il est d'accord avec Teddy : cet endroit est désert, et on y est frigorifié ! Frissonnant, il grommelle :

– Je me demande où peut bien être le Bâton de Pouvoir de Merlin !

– Commençons les recherches ! décide Kathleen. Le message précise que nous devons marcher en direction du soleil couchant.

La Selkie enjambe l'appui de la fenêtre. Elle ramasse les plis de son manteau, s'assied sur la neige et, d'un coup de talon, se projette en avant. Elle dévale la butte comme sur une luge.

– Attends-moi ! dit Léa.

À son tour, la petite fille passe par la fenêtre et descend la pente sur les fesses :

– Youpiiiiiiiiiii !

Arrivée en bas, elle crie :

– Venez, les garçons ! C'est super !

Tom et Teddy échangent un regard :

– On y va ?

– On y va !

Tom rajuste ses lunettes, il escalade la fenêtre derrière Teddy. Puis tous deux s'assoient côte à côte et entament la glissade. Tom ne peut s'empêcher de lancer un grand « youpiiiii ! » lui aussi. C'est trop amusant !

Les garçons se relèvent. Ils brossent de la main leurs habits pleins de neige en riant. Leur haleine monte en buée blanche dans l'air glacé.

– Il ne f… fait pas chaud ! balbutie Léa en se frictionnant les bras.

Seule Kathleen ne semble pas incommodée par la température. Elle reste étendue sur la neige, à contempler le ciel.

« Elle est comme les phoques, elle ne

souffre pas du froid », pense Tom avec envie.

Teddy regarde de tous côtés :

– À part nous, il n'y a pas une seule créature vivante, ici !

Kathleen se relève et met sa main en visière. Le soleil froid est déjà bas dans le ciel ; la plaine bleuit. La Selkie pointe le doigt :

– Moi, je vois des oies des neiges ! Et regardez, là ! Un lièvre blanc rejoint son terrier à grands bonds.

Tom a beau plisser les yeux, il ne distingue rien du tout.

– Voilà un hibou des neiges, poursuit Kathleen. Et aussi… Oh !

– Quoi donc ? demande Léa.

La Selkie murmure, tremblante :

– Des loups ! Ils viennent de disparaître derrière un monticule. Les gens de mon peuple ont très peur des loups.

Teddy prend la main de la jeune fille :

– N'aie crainte, je te protégerai. Viens, ne perdons pas de temps !

Teddy et Kathleen se mettent en route, leurs manteaux de laine flottant derrière eux. Tom et Léa rentrent le cou dans les épaules et se dépêchent de les suivre.

Alors qu'ils avancent, le soleil descend. Ses derniers rayons dessinent des traits de lumière rose sur la neige.

Tom marche la tête baissée. Il a l'impression que le vent lui jette des milliers d'aiguilles à la figure. L'air qu'il inspire est si froid qu'il lui brûle les poumons. Pourvu qu'ils trouvent vite le Bâton de Pouvoir de Merlin ! Ils ne survivront pas longtemps sur cette terre gelée et désertique.

– Tom !

Ce cri interrompt le cours de ses pensées. Le garçon lève les yeux. Le soleil a complètement disparu. De grandes ombres bleu foncé s'étirent sur la neige. Il fait plus froid que jamais.

– Tom ! appelle Léa. Viens vite !

Sa sœur est debout au sommet d'une énorme congère. Teddy et Kathleen sont à ses côtés. Tous trois semblent fixer quelque chose.

Tom, qui s'était laissé distancer, se dépêche de les rejoindre.

– Regarde ! souffle la petite fille.

– Ooooooooh ! lâche Tom, sidéré.

En bas de la pente se dresse un palais de

glace. Sous la lumière de la lune qui se lève, ses flèches étincelantes percent le ciel noir.

– Qui peut bien habiter là ? murmure le garçon.

– On va voir ! décide Teddy.

Le jeune magicien s'engage sur la pente glissante ; ses amis le suivent.

De longues stalactites miroitantes pendent comme des lances devant l'entrée.

– On dirait que personne n'a pénétré ici depuis bien longtemps, fait remarquer Kathleen.

Teddy brise d'un grand geste du bras plusieurs stalactites, qui explosent en mille morceaux :

– Exact ! On entre ?

Les autres approuvent de la tête.

Repoussant du pied les débris de glace, Teddy pénètre le premier dans l'étrange palais.

# Le Sorcier
## de l'Hiver

Les rayons de lune scintillent entre les arcades. Le sol brille comme la piste d'une patinoire. D'épais piliers de glace soutiennent le haut plafond voûté.

Soudain, une voix tonne :

– BIENVENUE, TOM ET LÉA !

La phrase rebondit longuement d'une colonne à l'autre. Tom agrippe le bras de Teddy. Il chuchote :

– Tu crois que c'est Merlin ?

– Non, ce n'est pas sa voix, répond Teddy en chuchotant lui aussi.

– C'est sûrement lui, il connaît nos noms, fait Léa sur le même ton.

– APPROCHEZ, TOM ET LÉA ! JE VOUS ATTENDAIS, gronde la voix.

– Mais oui, c'est Merlin ! affirme Léa. Sa voix est différente à cause de l'écho, voilà tout. Venez !

– Léa ! Attends ! proteste Tom.

Trop tard ! Sa sœur s'est déjà aventurée dans la salle. Il n'y a plus qu'à la suivre.

Des marches taillées dans la glace montent vers une plate-forme. Là, sur un trône étincelant, est assis un imposant personnage à grande barbe.

Non, ce n'est pas Merlin. L'homme est vêtu d'une longue robe usée bordée de fourrure mitée. Son visage est buriné, sa barbe, en broussaille ; l'un de ses yeux est dissimulé par un cache noir. Fixant Léa de son œil unique, il demande, étonné :

– Qui es-tu, toi ?

La petite fille s'avance d'un pas :

– Je suis Léa ; voici mon frère Tom. Et ceux-ci sont nos amis, Kathleen et Teddy.

– Tom ? Léa ? ricane le vieillard. Impossible ! Vous êtes bien trop jeunes !

– On n'est pas si jeunes que ça, proteste

la fillette. J'ai sept ans, et Tom en a neuf !

– Mais vous n'êtes que des enfants ! Tom et Léa sont des héros !

– Des héros, je ne sais pas… Il est vrai que nous avons plusieurs fois rendu service à Merlin et à la fée Morgane.

Tom est inquiet. Sa sœur parle trop, comme toujours. Il la tire par la manche :

– Chut, Léa !

Lui, il n'a aucune envie de raconter leurs exploits à ce personnage antipathique. Mais Léa continue :

– Merlin nous a demandé de partir pour le Pays-Au-Delà-Des-Nuages. Il nous a envoyé un message écrit sur une pierre.

– Ah… ! grommelle l'homme assis sur le trône. En ce cas …

Il se penche en avant et récite à voix basse : « Mon Bâton de Pouvoir m'a été volé… »

Tom est stupéfait :

– Mais… comment savez-vous ?

– Parce que c'est moi qui ai rédigé le message ! J'espérais qu'il vous parviendrait, d'une façon ou d'une autre !

Tom recule, effrayé. Ainsi, Merlin ne leur a pas confié de nouvelle mission. Ce sale bonhomme les a trompés !

– Qui êtes-vous ? l'interpelle-t-il.

– Je suis le Sorcier de l'Hiver !

Le garçon manque de
s'étrangler. « Oh, non ! »

Ils ont entendu parler
de ce puissant sorcier lors de
leurs dernières aventures. C'est
lui qui avait jeté un sort au roi Corbeau[1]!
C'est lui qui avait volé l'Épée de Lumière
à la Dame du Lac[2] !

Le sorcier dévisage froidement Teddy et
Kathleen :

– Et vous deux, qui êtes-vous ?

– Je suis Teddy de Camelot, l'apprenti
de Morgane. Mon père était sorcier. Ma
mère était un esprit des bois.

– Et moi, se présente Kathleen, je suis
une Selkie ; j'appartiens à l'ancien peuple
des phoques.

Le Sorcier de l'Hiver hoche la tête :

[1] Lire le tome 25, *Les mystères du château hanté*.
[2] Lire le tome 26, *À la recherche de l'Épée de Lumière*.

– Vous appartenez donc l'un et l'autre au monde de la magie, comme moi. Vous ne m'êtes d'aucune utilité. Seuls ces deux mortels m'intéressent. Tom et Léa du Bois de Belleville !

– Pourquoi nous ? souffle Tom.

– À cause de ce que vous avez fait pour Merlin ! s'emporte le sorcier. Pour Merlin, vous avez puisé l'Eau de la Mémoire et de l'Imagination[1] ! Pour Merlin, vous avez retrouvé le Diamant de la Destinée[2] ! Pour Merlin, vous avez sorti du fond des eaux l'Épée de Lumière[3] ! À présent, je veux que vous cherchiez quelque chose pour MOI !

[1] Lire le tome 24, *Au royaume du roi Arthur.*
[2] Lire le tome 25, *Les mystères du château hanté.*
[3] Lire le tome 26, *À la recherche de l'Épée de Lumière.*

– Quoi donc ? demande Léa.

Le sorcier arrache le cache qui lui couvre l'œil gauche, révélant un trou sombre :

– Mon œil !

– Aaaaaaaaah ! gémissent les enfants, horrifiés.

Tom balbutie :

– Vous… vous êtes sérieux ? Vous voulez qu'on retrouve votre… œil ?

Le sorcier remet le cache sur son orbite vide :

– Oui.

– Mais… Même si nous le retrouvons, nous ne pourrons pas vous le… greffer ! Nous ne sommes pas médecins !

– D'ailleurs, pourquoi ne vous fabriquez-vous pas vous-même un nouvel œil ? Vous êtes magicien, non ? le défie Léa.

– NE CONTESTEZ PAS MES ORDRES ! hurle le sorcier avec fureur.

– Hé ! proteste Tom. Ne parlez pas sur ce ton à ma sœur !

Le sorcier hausse un sourcil broussailleux :

– C'est ta sœur ?

– Oui !

Le vieil homme hoche lentement la tête. D'une voix radoucie, il remarque :

– Et tu la protèges …

– Nous nous protégeons toujours l'un l'autre.

Retrouvant sa rudesse de ton, le sorcier explique :

– Il y a bien longtemps, j'ai échangé mon œil contre une chose que je désirais plus que tout. Or je ne l'ai jamais obtenue. Je veux donc le récupérer.

– Avec qui aviez-vous passé cet accord ?

– Avec les Sœurs de la Destinée. Mais elles m'ont trompé ! C'est pourquoi je vous ai envoyé ce message. Vous irez trouver ces créatures pour leur reprendre ce qui m'appartient, et vous irez seuls.

– Pourquoi ? s'enquiert Tom.

– Parce que seuls des mortels peuvent rompre un pacte conclu avec les Sœurs de la Destinée. Ni les Selkies, ni les fils de sorciers, ni même les magiciens comme moi n'en ont le pouvoir.

– Pourtant, intervient Léa, si nous avons réussi nos missions précédentes, c'est grâce à l'aide de Teddy, de Kathleen, de Morgane ou de Merlin !

Le Sorcier de l'Hiver fronce les sourcils :

– Quel genre d'aide vous ont-ils apporté ?

– Ils nous ont surtout appris des formules et des comptines.

– Ah ! En ce cas, je ferai de même.

Le sorcier réfléchit un moment, puis il se penche vers les enfants et récite d'une voix rauque :

*Montez sur mon traîneau et glissez jusqu'à la Demeure des Norns, au creux de la baie. Le prix qu'elles demandent vous devrez payer pour me rapporter mon œil avant le jour levé.*

Le sorcier farfouille dans les plis de sa robe, en tire une ficelle garnie d'une rangée de nœuds et la lance à Tom :

– Cette
ficelle-à-vent vous
fera voyager vite.

« Qu'est-ce qu'une
ficelle-à-vent ? se demande
le garçon. Et qui sont les Norns ? »

Avant qu'il ait pu poser la question, le
Sorcier de l'Hiver pointe le doigt vers lui :

– Maintenant, écoute attentivement !
Prenez garde aux loups blancs de la nuit !
Ils vous suivront tout au long de votre
quête. Ne les laissez pas vous rattraper,
vous seriez dévorés.

Un frisson glacé court dans le dos de Tom.

Le sorcier ramasse un long bâton sculpté, posé sur le sol à côté du trône. Teddy pousse une exclamation :

– Aaah ! Le bâton de Merlin !

Le sorcier ricane. Puis il se tourne vers Tom et Léa :

– Partez à présent ! Sinon, vous ne reverrez ni Merlin ni la fée Morgane, jamais !

– Qu'est-ce que vous leur avez fait ? s'écrie Léa, indignée.

Le sorcier la dévisage froidement :

– Vous ne le saurez que si vous me rapportez mon œil avant le lever du jour.

– Mais…, commence la petite fille.

– Assez de questions ! rugit l'affreux vieillard. Partez !

Le Sorcier de l'Hiver fouette l'air avec le Bâton de Pouvoir de Merlin et lance à pleine voix une formule magique :

– DHE-HORRR !

Un éclair bleu jaillit de la pointe du bâton. Une seconde plus tard, Tom, Léa, Teddy et Kathleen se retrouvent assis sur la neige, dans la nuit glacée.

# Le traîneau d'argent

Les enfants se regardent, trop ahuris pour parler. La nuit est paisible. Une lune ronde luit dans le grand ciel clair tout piqueté d'étoiles.

Léa finit par rompre le silence :

– Je me demande ce qui est arrivé à Merlin et à Morgane…

– Je me demande où vous allez trouver cet œil, enchaîne Teddy.

– Et je me demande comment nous allons le rapporter, achève Tom.

Kathleen se relève et observe les alentours

d'un air effrayé en resserrant son manteau contre elle.

– Moi, murmure-t-elle, je me demande où sont les loups…

Teddy saute à son tour sur ses pieds et s'exclame avec un entrain forcé :

– Bon ! Quelqu'un se souvient de la comptine du sorcier ?

Kathleen récite sans se tromper :

*Montez sur mon traîneau et glissez jusqu'à*
*la Demeure des Norns, au creux de la baie.*
*Le prix qu'elles demandent vous devrez payer*
*Pour me rapporter mon œil avant le jour levé.*

– Très bien ! Mais qui sont les Norns ? soupire Tom.

– C'est le nom qu'on donne aux Sœurs de la Destinée, explique Teddy. Je l'ai lu dans les livres de Morgane. Elles passent leurs journées à travailler à d'immenses tapisseries. Les dessins déterminent le destin des gens qui vivent au Pays-Au-Delà-Des-Nuages.

– Et ces Norns détiendraient l'œil du sorcier, conclut Tom.

– À ce qu'il me semble, approuve Teddy.

– Il a parlé aussi d'un traîneau, se rappelle Léa. Il est où, cet engin ?

– Là ! fait Kathleen en pointant le doigt.

– Ooooooooh ! souffle la petite fille.

Un peu
plus loin, un étrange
véhicule d'argent descend
une pente neigeuse. Il ressemble à un
bateau à voile monté sur des patins étin-
celants. Personne ne tient le gouvernail ;
ni chevaux ni rennes n'y sont attelés. Une
voile blanche accrochée à un mât bat
doucement dans l'air calme.

À l'instant où le traîneau s'arrête, un
long hurlement emplit la nuit.

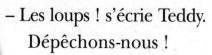

– Les loups ! s'écrie Teddy. Dépêchons-nous !

Kathleen le retient par le bras :

– Surtout, ne cours pas ! Si nous nous mettons à courir, ils nous poursuivront.

– Tu as raison, approuve le jeune sorcier. Il ne faut pas leur montrer que nous avons peur.

Un autre hurlement monte dans le silence.

– On fonce ! crie Teddy.

D'un seul élan, ils se précipitent tous vers la luge et grimpent dedans en catastrophe. Tom et Kathleen s'assoient à l'avant, Léa et Teddy à l'arrière.

– Ils arrivent ! s'égosille Teddy. Les voilà, les loups blancs de la nuit !

Tom se retourne : deux énormes bêtes galopent droit sur eux, à travers la plaine. Le clair de lune fait luire leur fourrure blanche, la neige vole sous leurs grosses pattes.

– Va ! Va ! Va ! crie Tom en s'accrochant au bastingage du bateau-traîneau.

Rien ne bouge.

Et les loups se rapprochent !

– Ce truc ne veut pas démarrer ! s'affole le garçon.

– Sers-toi de la ficelle-à-vent ! lui crie Teddy.

Tom sort de sa poche la ficelle du sorcier :

– Comment ça marche ?

– Défais un des nœuds !

Tom enlève ses moufles. Il s'acharne sur un nœud ; ses doigts tremblent. Il pense : « C'est complètement fou ! En quoi défaire un nœud peut-il nous aider ? »

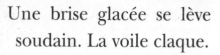

Une brise glacée se lève soudain. La voile claque.

– Un autre nœud ! Vite ! le presse Teddy.

Le garçon obéit. Le vent souffle plus fort, la voile se gonfle. Les patins du traîneau commencent à glisser sur la neige.

– On part ! s'exclame Léa.

– Oui, mais on ne va pas assez vite…, gémit Teddy.

Tom lance un coup d'œil derrière lui. Les deux loups blancs les ont presque rattrapés ! Ils galopent, la gueule ouverte, les crocs luisants. Vite ! Défaire un troisième nœud !

Le vent forcit, la voile se tend, et le traîneau bondit en avant.

Les enfants se cramponnent au bastingage pour ne pas tomber. Teddy s'empare du gouvernail et dirige l'étrange embarcation, qui glisse à vive allure.

Le traîneau du sorcier file sur le sol gelé, les loups sont distancés. Leurs jappements diminuent peu à peu, jusqu'à ce qu'on ne les entende plus du tout.

Le vent pousse le traîneau d'argent sur la neige gelée dans un crissement de patins. À présent que les loups sont loin derrière, les quatre passagers trouvent la course plutôt excitante. Dommage qu'il fasse aussi froid !

Tom interroge Teddy :

– Comment savais-tu qu'il fallait défaire les nœuds de la ficelle pour que le vent souffle ?

– C'est une ancienne magie. J'ai lu des choses sur les ficelles-à-vent, mais je n'en avais jamais vu.

– On a de la chance que tu aimes autant lire ! commente Léa.

– Regardez ! s'écrie alors Kathleen. Des lièvres et des renards ! Vous les voyez ? Ils jouent dans la neige. Et écoutez ! Des cygnes siffleurs ! Là, derrière ce nuage !

– Wouah ! souffle Léa, émerveillée.

Tom est stupéfait. Kathleen a un talent

extraordinaire pour tout voir et tout entendre. Lui, il ne distingue rien de rien, dans ce paysage tout blanc.

Léa s'enquiert :

– Où est-ce que tu nous conduis, Teddy ?

Le jeune sorcier se met à rire :

– Je n'en ai aucune idée !

– Rappelle-toi qu'on doit trouver les Norns dans le creux d'une baie !

– Alors, on prend à gauche et on suit les cygnes ! décide Kathleen. Ils volent vers la mer.

Teddy tourne le gouvernail. Pendant un moment, le traîneau secoue ses passagers dans tous les sens, puis il glisse de nouveau sans heurts.

– On est sur une mer de glace, à présent, explique la Selkie. Il y a des phoques en dessous, je vois les trous par où ils viennent respirer. On devrait s'arrêter.

– Moi, je veux bien, dit Teddy. Mais comment ?

– En faisant un nœud à la ficelle, peut-être ? suggère Léa.

Tom ôte de nouveau ses moufles. Les doigts gourds, il noue la ficelle. Le vent baisse un peu, le traîneau ralentit légèrement. Un deuxième nœud, la voile s'amollit. Un troisième, le vent tombe complètement.

– Bien joué ! approuve Teddy.

Tom remet la ficelle dans sa poche et regarde autour de lui :

– C'est ici que vivent les Norns ?

– Je vais demander, déclare Kathleen.

« Demander à qui ? » pense Tom, éberlué.

La Selkie saute du traîneau. Elle avance sur la mer gelée, observant attentivement sa surface. Elle s'arrête devant un trou et s'agenouille. Elle se penche au-dessus de l'ouverture et parle doucement en langage selkie. Puis elle tend l'oreille pour écouter.

Un instant plus tard, elle se relève :

– Les phoques m'ont dit que nous trouverons les Norns derrière ces rochers, là-bas.

– Super ! se réjouit Léa.

Sous la brillante lumière de la lune, les quatre compagnons descendent du traîneau et s'aventurent sur la mer gelée. Ils franchissent un étroit passage entre des rochers.

– Nous y sommes, constate Teddy.

À cinquante mètres de là se dresse une sorte de monticule. C'est une cabane ronde recouverte de neige. De la fumée monte de la cheminée. Derrière une petite fenêtre vacille la lueur d'une lanterne.

– Je sais que vous devez être seuls pour récupérer l'œil du sorcier, dit Teddy. Tout de même, je suis curieux de savoir à quoi ressemblent les Norns.

Il s'approche sur la pointe des pieds et regarde par le carreau. Les autres le rejoignent.

Ils découvrent un âtre où brûle un bon feu. Sa lumière dansante éclaire trois étranges créatures penchées sur un vaste métier à tapisserie.

Tom retient une exclamation : les trois Sœurs de la Destinée sont aussi maigres que des squelettes ! Elles ont des chevelures emmêlées, un long nez et de gros yeux protubérants. Leurs doigts osseux travaillent avec agilité sur un grand canevas qu'elles garnissent de laines de couleur.

– On dirait des sorcières sorties d'un livre de contes ! souffle Léa.

– Dire que chaque ouvrage qu'elles fabriquent raconte l'histoire d'une vie ! s'émerveille Teddy.

Le jeune sorcier ajoute :

– Kathleen et moi, on va vous attendre ici. Bonne chance !

À cet instant, un terrible hurlement déchire le silence.

– Les loups ! s'écrie Kathleen.

Teddy n'hésite pas. Il court vers la porte et l'ouvre à la volée.

– Tout le monde à l'intérieur ! clame-t-il.

Et les quatre amis s'engouffrent dans la Demeure des Norns.

# 5

# Les Sœurs
# de la Destinée

Teddy referme vivement la porte. Les quatre enfants reprennent leur souffle.

– Bienvenue ! disent les Norns en chœur.

Elles se ressemblent parfaitement ; seule la couleur de leur robe les différencie : la première est vêtue de bleu, la deuxième de brun et la troisième de gris.

La Norn en bleu demande :

– Vous êtes bien Tom, Léa, Teddy et Kathleen ?

– Euh… c'est ça… ! dit Léa.

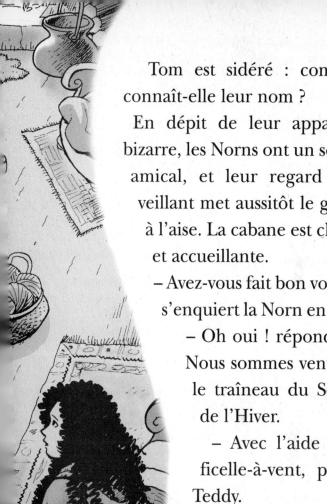

Tom est sidéré : comment connaît-elle leur nom ?

En dépit de leur apparence bizarre, les Norns ont un sourire amical, et leur regard bienveillant met aussitôt le garçon à l'aise. La cabane est chaude et accueillante.

– Avez-vous fait bon voyage ? s'enquiert la Norn en brun.

– Oh oui ! répond Léa. Nous sommes venus sur le traîneau du Sorcier de l'Hiver.

– Avec l'aide de la ficelle-à-vent, précise Teddy.

Tom la sort de sa poche pour la montrer aux trois sœurs.

La Norn en gris caquète :

– Oui ! Rien ne vaut une ficelle pleine de nœuds !

– Une ficelle sans nœuds, voilà ce qui serait ennuyeux ! enchérit la Norn en bleu.

– Et une vie sans nœuds serait une vie sans intérêt, conclut la Norn en brun.

Elles s'activent tout en parlant. Leurs yeux saillants ne cillent pas. Tom devine qu'elles ne ferment jamais les paupières, car jamais elles ne dorment : jamais elles ne lâchent leur ouvrage.

– Nous sommes désolés de vous déranger, intervient Léa. Mais Tom et moi désirons récupérer l'œil du Sorcier de l'Hiver. Ainsi nous sauverons nos amis, Merlin et la fée Morgane.

La Norn en bleu hoche la tête :

– Nous savons cela. Nous travaillons justement à l'histoire de ce sorcier. Venez voir !

Les enfants s'approchent du métier.

La tapisserie représente des douzaines de minuscules images. Les fils sont aux couleurs de l'hiver : bleu, brun et gris, sur fond blanc.

Un dessin montre deux enfants qui jouent ; un autre, un garçon poursuivant un cygne ; un autre encore, deux loups blancs ; un autre enfin, un œil dans un cercle.

– Il y a bien longtemps de cela, raconte la Norn en gris, le Sorcier de l'Hiver est venu nous trouver : il voulait obtenir toute la sagesse du monde. Nous lui avons répondu que nous la lui donnerions en échange de l'un de ses yeux. Il a accepté notre marché.

– Ce sorcier ne me paraît pourtant pas très sage…, observe Léa.

– Certes, il ne l'est pas ! s'exclame la Norn en brun. Nous avons semé dans son cœur les graines de la sagesse ; elles n'ont jamais poussé.

– Mais pourquoi lui avoir pris un œil ? s'étonne Tom.

– Nous voulions le donner au Géant de Glace, explique la Norn en bleu.

– Le Géant de Glace ? répète Teddy. Qui est-ce ?

– Ce n'est ni un magicien ni un mortel, répond la Norn en bleu. C'est une force aveugle de la nature, qui dévaste tout sur son passage.

La Norn en brun enchaîne :

– Nous espérions qu'avec l'œil du sorcier le Géant de Glace verrait la beauté du monde et qu'il la protégerait, au lieu de la détruire. Hélas, le Géant n'utilise pas notre cadeau ! Il le tient caché dans son antre.

– Où cela ? veut savoir Léa.

– Dans la Colline Creuse, dit la Norn en bleu, il y a un trou.

– Dans ce trou, continue la Norn en brun, il y a un glaçon.

– Au cœur de ce glaçon, termine la Norn en gris, est caché l'œil du sorcier. Mais prenez garde : ne regardez jamais le Géant de Glace ! Qui le voit est aussitôt gelé jusqu'aux os !

Cette idée fait frissonner les enfants des pieds à la tête.

– Eh bien, on ferait mieux d'y aller, déclare Léa. Merci beaucoup pour votre aide ! D'après la comptine du Sorcier de l'Hiver, nous devons vous payer. Quel prix demandez-vous ?

Les Norns échangent un regard. Celle en gris dit à ses sœurs en désignant Léa :

– J'aime bien cette chose tissée autour de son cou. Elle est aussi rouge que le soleil couchant. Qu'en pensez-vous ?

Les deux autres approuvent.

– Mon écharpe ? comprend Léa. Bien sûr ! Prenez-la !

La Norn en bleu s'exclame :

– Peut-être devrions-nous tisser des écharpes, plutôt que de fabriquer des tapisseries !

Les deux autres gloussent. Puis la Norn en gris conseille aux enfants :

– Dirigez-vous vers le nord en vous fiant à l'étoile Polaire. Lorsque vous atteindrez les collines, cherchez celle dont le sommet est aplati.

Tom, Léa et Teddy s'apprêtent à sortir, mais Kathleen s'attarde.

– Pardonnez-moi, dit-elle aux trois sœurs, je voudrais vous poser encore une question.

La Selkie désigne les motifs de la tapisserie :

– Que signifie l'image du cygne et du petit garçon ?

– C'est une triste histoire, répond la Norn en gris. Le Sorcier de l'Hiver avait une jeune sœur, qui l'aimait plus que n'importe qui au monde. Un jour, ils se sont disputés pour une raison stupide. Fou de colère, il lui a crié qu'il ne voulait plus la revoir. Elle s'est enfuie vers la mer, en pleurs. Sur le rivage, elle a rencontré une troupe de cygnes femelles, qui lui ont donné un manteau de plumes blanches. Elle s'en est revêtue et s'est transformée en cygne. Elle s'est envolée avec ses nouvelles compagnes et n'est jamais revenue.

– Depuis lors, continue la Norn en bleu, le Sorcier de l'Hiver est devenu froid et méchant, à croire que sa sœur a emporté son cœur avec elle.

– C'est bien triste, en effet, reconnaît Léa. Comment l'histoire du Sorcier de l'Hiver s'achèvera-t-elle ?

– C'est vous qui choisirez les prochains fils à nouer sur la tapisserie, leur apprend la Norn en brun.

– Nous ? s'étonne la petite fille.

– Oui, confirme la Norn en gris. Nos pouvoirs diminuent ; les choses ne vont plus comme nous le désirons. Le Sorcier de l'Hiver n'a acquis aucune sagesse ; le Géant de Glace est resté aveugle. C'est à vous, à présent, de donner une fin à l'histoire !

Les trois sœurs sourient à leurs visiteurs. Leurs doigts osseux voltigent toujours au-dessus de la tapisserie tels des papillons dans un pré fleuri. Tom leur rend leur sourire. Soudain, il se souvient de Morgane et de Merlin ; il repense à tous les dangers qui les attendent à l'extérieur. Il dit :

– Une dernière chose ! Racontez-nous l'histoire des deux loups blancs !

– Oh, les loups ! fait la Norn en bleu. N'ayez pas peur des loups ! La vie serait si banale sans eux !

Ses sœurs opinent d'un air approbateur. Leur mine bienveillante réconforte le garçon. À cet instant, il ne craint plus ni les loups, ni le Sorcier de l'Hiver, ni le Géant de Glace.

– Au revoir ! Au revoir ! Au revoir ! lancent les Sœurs de la Destinée.

Tom et ses compagnons les saluent de la main. Puis ils se glissent hors de la Demeure des Norns et s'enfoncent dans la nuit glacée.

# 6

# La Colline Creuse

Dès que Tom sort dans le froid, la peur l'envahit de nouveau : tout autour de la cabane, il y a les empreintes d'énormes pattes.

– Les loups étaient ici, murmure Kathleen.

– Si on retournait chez les Norns… ? suggère Teddy.

– Non, dit la Selkie d'une voix ferme. Nous devons accompagner Tom et Léa jusqu'au traîneau pour qu'ils entament leur voyage vers la Colline Creuse.

– Oui, naturellement, cède Teddy avec un hochement de tête.

Ils retournent vers le passage entre les rochers. Tom ne peut s'empêcher de jeter un regard en arrière. Lui aussi aimerait beaucoup retrouver la chaleur et la sécurité de la Demeure des Norns !

Kathleen pose une main sur l'épaule du garçon :

– Viens ! Vous n'avez pas beaucoup de temps.

Les enfants s'engagent dans le passage. Quand ils arrivent de l'autre côté, ils ne voient aucune trace des deux loups blancs. Seul le traîneau d'argent brille à la lumière de la lune. Tom et Léa montent à bord.

– Quel dommage que vous ne puissiez pas venir avec nous, soupire le garçon. Tu te souviens de ce que tu disais, Teddy ? À quatre, rien ne nous résiste !

– Tout ira bien ! les rassure Kathleen. À l'aube, nous vous rejoindrons devant le palais de glace. Découvrez vite la Colline Creuse !

– Et n'oubliez pas l'avertissement des Norns, recommande Teddy. Ne regardez pas le Géant de Glace !

– On s'en souviendra, lui assure Tom.

Il sort de sa poche la ficelle-à-vent. Il ôte ses moufles et défait un nœud. Une brise légère se met à souffler. Il défait un deuxième nœud. Le vent forcit, la voile claque, les patins du traîneau glissent sur la neige. Un troisième nœud, et le vent gonfle la voile. Le traîneau file dans la nuit.

– Bonne chance ! lance Teddy.

Tom et Léa agitent les bras pour saluer leurs amis. Le traîneau traverse le bras de mer gelé.

– Par là ! dit Tom. On doit se diriger vers l'étoile Polaire !

Léa empoigne le gouvernail.

Devant eux, l'astre du nord brille comme un diamant.

Tom resserre ses bras autour de lui pour se tenir chaud. De temps à autre, il balaie du regard la plaine illuminée par la lune ; mais les loups blancs ne se montrent pas.

Bientôt, une ligne de collines apparaît au loin. L'une d'elles a un sommet aplati.

– Ralentis ! crie Léa.

Tom refait un nœud, un deuxième, un troisième. Le traîneau vient s'arrêter doucement au pied de la Colline Creuse. Les enfants sautent à terre.

Le garçon lève les yeux vers la pente abrupte :

– Où est le trou ?

– Je ne sais pas, dit Léa. Il doit être assez gros, si le Géant de Glace y pénètre.

Ils examinent longuement l'endroit au clair de lune.

– Là ! fait soudain Léa. On dirait une ouverture.

– Peut-être bien. Allons voir !

Les enfants commencent à grimper. En s'approchant, ils découvrent en effet une faille dans le flanc enneigé de la colline.

– Ça a l'air de conduire à l'intérieur, se réjouit Léa.

– Et… si on se retrouve nez à nez avec le Géant de Glace ? objecte son frère.

– J'ai l'impression qu'il n'est pas là pour le moment, murmure la petite fille. Dépêchons-nous de dénicher l'œil avant qu'il revienne !

Tom soupire :

– D'accord ! Mais soyons prudents !

Ils escaladent la pente aussi vite qu'ils peuvent. Arrivés devant l'ouverture, ils se faufilent à l'intérieur.

Une sorte de plate-forme surplombe une large caverne. Grâce à un rayon de lune qui passe par la faille,

les enfants voient qu'au fond la neige a été repoussée sur les côtés, formant un creux arrondi.

– Ça doit être là que dort le géant, suppose Léa.

– Oui, et c'est probablement là aussi qu'il cache l'œil. Tu te souviens ? Dans la Colline Creuse, il y a un trou…

– Exact ! approuve Léa.

Tom examine le creux de neige, il regarde sa sœur. Il chuchote :

– On y va ?

– On y va !

Les enfants descendent au fond de la caverne, non sans peine. Centimètre par centimètre, ils examinent le sol, cherchant le trou dont parle la comptine.

Soudain, Léa se tord le pied et manque de tomber.

– Ah ! crie-t-elle. Je crois que j'ai marché dedans !

Tom s'agenouille près de sa sœur, qui fouille déjà la neige.

– Il y a quelque chose ! marmonne-t-elle.

Et elle brandit un morceau de glace de la taille d'un œuf.

– Le glaçon !

Dans la demi-obscurité, il est presque impossible de voir quelque chose à l'intérieur.

– Ce n'est peut-être pas le bon glaçon, fait remarquer Tom. Attendons qu'il fasse jour pour vérifier si l'œil y est bien.

– C'est le bon, affirme Léa. Il y en a beaucoup, des glaçons de ce genre, à ton avis ?

– Non, tu as raison.

Léa tourne et retourne le glaçon dans sa main. Elle murmure :

– Peut-être que l'œil nous regarde...

– Scientifiquement parlant, c'est impossible, décrète son frère. Un œil ne peut voir que s'il est relié à un cerveau.

– Oui, et, scientifiquement parlant, une ficelle qu'on dénoue ne produit pas de vent. Là où on est, tu sais, la science...

Léa retient son souffle :

– Tu as senti ?

– Senti quoi ?

– Le sol tremble...

En effet ! Tom tend l'oreille. Il perçoit un bruit bizarre, une sorte de ronflement qui paraît monter des profondeurs de la colline :

*HFFFFFFF ! HFFFFFFF ! HFFFFFFF !*

On dirait une respiration.

– Le géant revient ! lâche Léa.

– Oh, non ! s'affole Tom.

Le sol tremble de plus en plus, le bruit s'accentue.

– Cache le glaçon ! crie Tom.

Léa fourre vite le morceau de glace dans sa poche.

*HFFFFFFF ! HFFFFFFF ! HFFFFFFF !*

Le géant approche !

– Cachons-nous, nous aussi ! souffle Tom.

Il attrape sa sœur et la pousse dans un recoin sombre.

– Quoi qu'il arrive, rappelle-t-il à Léa, ne le regarde pas !

Accroupis dans le noir, les enfants se couvrent le visage de leurs mains et attendent...

# Le Géant de Glace

*HFFFFFF ! HFFFFFF ! HFFFFFF !*

À chaque expiration du géant, un coup de vent glacé balaie la caverne.

Tom ne peut pas arrêter de trembler. Jamais il n'a eu aussi froid de sa vie ! Ni aussi peur…

*HFFFFFF ! HFFFFFF ! HFFFFFF !*

Le géant est tout près, maintenant. Son souffle est comme un blizzard. Tom garde ses paupières étroitement fermées et se serre contre sa sœur.

*HFFFFFF ! HFFFFFF ! HFFFFFF !*

On dirait cent fantômes hululant dans les profondeurs de la colline. « C'est une force aveugle de la nature, qui dévaste tout sur son passage. »

Le souffle du géant semble alors se calmer.

« Que se passe-t-il ? » se demande le garçon.

Peu à peu, la puissante respiration se ralentit, devient presque silencieuse. Seule une légère brise passe encore dans la caverne.

– Je crois qu'il s'est endormi, chuchote Léa. C'est le moment de sortir d'ici !

– D'accord, fait Tom. Surtout, baisse les yeux ! Ne regarde que tes pieds !

– Oui, oui…

Les enfants traversent la caverne à pas de loup et entament la grimpée vers la faille.

Tom sent ses dents s'entrechoquer ; il

ne saurait dire si c'est de froid ou...
d'effroi !

Un rugissement épouvantable retentit
soudain, et une tornade balaie la caverne.
Le Géant de Glace s'est réveillé !

Tom est projeté sur le sol. Il essaie de
ramper dans la neige ; il ne voit pas où il
va, il fait trop sombre.

– Tom ! Par là ! l'appelle la voix de sa
sœur.

Le garçon sent Léa l'attraper par le
bras. Se tirant et se poussant l'un l'autre,
ils réussissent à atteindre la faille.

Vite, ils se faufilent par l'ouverture. Une violente rafale les frappe dans le dos, et ils dégringolent tout le long de la pente, jusqu'en bas de la colline.

Dans la plaine, le vent soulève des tourbillons de neige. Tom titube. Il a rouvert les yeux, mais il est aveuglé. Il crie :

– Léa ? Où es-tu ?

Sa sœur a disparu ! Où est-elle passée ? Où est le traîneau ?

Le vent hurle, pire qu'une horde de loups ; une avalanche roule depuis le sommet de la colline telle une énorme vague.

– Tom ! Au secours !

Le garçon entend à peine la voix de Léa dans les hurlements de la tempête. Tout à coup, une masse de neige s'abat sur lui et le recouvre complètement.

Enseveli sous cette lourde couverture, Tom sent ses forces l'abandonner. Il sait qu'il devrait creuser un tunnel pour se sortir de là, mais il a trop froid, il est trop fatigué. Les yeux fermés, il sombre dans un sommeil glacé.

# Les loups

Tom rêve. Il rêve qu'une chaude four-rure lui caresse le visage. Il rêve qu'un loup creuse autour de lui, le flaire, le pousse du museau…

Le garçon ouvre les yeux. D'abord, il ne distingue rien. Il comprend cependant qu'il n'est plus enseveli sous la neige. Il essuie ses lunettes et les remet sur son nez. Au-dessus de lui, la lune et les étoiles brillent dans un grand ciel clair. Il pense : « Le Géant de Glace est parti… »

Il s'assied.

Au même moment, il
entend un halètement.
Un énorme loup blanc
est accroupi juste à
côté de lui !

Tom saute sur ses
pieds en criant :

– Va-t'en !

Le loup se met
à gronder.

– Va-t'en ! Va-
t'en ! s'étrangle
Tom.

Il ramasse une
poignée de neige et
la lance à la tête du
loup, qui se lève et fait deux
pas en arrière.

Tom jette autour de lui des regards
affolés. Alors il voit Léa.

Elle est étendue sur un monticule de

neige ; elle ne
bouge pas. L'autre
loup la flaire et lui donne
de petits coups de patte.
Tom sent monter en lui une colère plus
forte que sa peur. Il hurle :

– Laisse ma sœur tranquille, toi ! Allez, ouste ! Dégage !

Il ramasse une deuxième poignée de neige, la tasse en une boule bien dure.

Il atteint le loup en pleine tête. La bête recule et rejoint son compagnon. Enhardi, Tom les bombarde de boules de neige sans cesser de hurler :

– Allez-vous-en, sales bêtes !

Les loups fixent le garçon de leurs yeux jaunes.

– Je ne plaisante pas ! Fichez le camp, sinon…

Les loups échangent un regard, puis, lentement, ils se détournent. Après un dernier coup d'œil vers les enfants, ils s'éloignent au petit trot et disparaissent dans la plaine blanche.

Tom se précipite vers sa sœur. Il s'agenouille près d'elle et lui tapote les joues :

– Réveille-toi ! Réveille-toi, Léa !

La petite fille ouvre les yeux.

– Ouf ! J'ai eu si peur ! J'ai cru que tu étais morte ! Tu vas bien ?

– Ça va… J'ai rêvé des deux loups blancs.

– Moi aussi ! Et, quand je suis revenu à moi, ils étaient là, prêts à nous dévorer !

Léa se redresse :

– Vraiment ?

– Oui ! Mais je les ai effrayés.

– Et le Géant de Glace ?

– Il est parti aussi. Allez, viens ! Filons d'ici !

Tom aide sa sœur à se relever. Il s'inquiète :

– Tu n'as pas perdu l'œil du sorcier, au moins ?

Léa tâte sa poche pour vérifier :

– Non, je l'ai !


Près d'un haut tas de neige, le traîneau d'argent attend ses passagers. Peu à peu, une faible lueur grise monte dans le ciel.

– L'aube approche, fait remarquer Tom. Dépêchons-nous !

Les enfants se prennent par la main et courent dans la neige. Ils grimpent dans le traîneau. Léa reprend le gouvernail ; Tom tire la ficelle-à-vent de sa poche et défait un premier nœud, un deuxième, un troisième… Le vent se lève, forcit ; les patins filent sur la neige.

*Swshhh, swshhh, swshhh…* Le traîneau emporte les deux enfants loin de la Colline Creuse. À mesure qu'ils avancent sur la grande plaine blanche, le ciel passe du gris pâle à une tendre couleur rose.

– Plus vite ! s'affole Léa.

Tom défait un quatrième nœud. Le vent lui hurle aux oreilles, le traîneau bondit en avant. Léa manœuvre pour s'engager dans le passage entre les rochers. Bientôt, ils traversent le bras de mer gelé et foncent droit vers le palais du Sorcier de l'Hiver.

Dès que le palais est en vue, Tom renoue la ficelle une fois, deux fois. Le traîneau ralentit. Encore deux nœuds, et il s'arrête.

Les enfants regardent autour d'eux,
dans la froide lumière de l'aube.

– Je me demande où sont Teddy et
Kathleen, murmure Léa. Ils avaient dit
qu'ils nous retrouveraient là…

Tom scrute l'immense plaine blanche ;
il ne voit pas trace de leurs amis. Si seulement il avait d'aussi bons yeux que la
Selkie !

– J'espère qu'ils n'ont pas rencontré les loups blancs !

– J'ai comme l'impression que les loups ne leur auraient fait aucun mal, dit Léa, songeuse. Dans mon rêve, le loup était gentil…

– Des loups de rêves ne sont pas de vrais loups, grommelle Tom.

– On ne peut pas attendre plus longtemps, soupire Léa. Il faut qu'on rapporte l'œil avant le lever du jour ; sinon, nous ne reverrons jamais Merlin et Morgane.

– L'œil ! s'écrie Tom. On n'a même pas vérifié s'il était bien là !

Léa fouille hâtivement dans sa poche et en sort le glaçon. Elle l'élève devant elle. Tom lâche une exclamation : enfermé dans l'épaisseur de glace, un globe oculaire semble le fixer. Il est blanc, avec un gros iris bleu au milieu.

– Il est beau, hein ? mumure Léa.

– Hmmm… Tu trouves ?

Un œil séparé de la tête, c'est une chose trop inquiétante au goût de Tom.

Léa remet le glaçon dans sa poche. Tom examine encore une fois les alentours. Le ciel est passé du rose à l'orangé. Un mince trait de lumière apparaît à l'horizon.

– Le soleil ! s'exclame le garçon. Dépêchons-nous !

Les enfants sautent de la luge et courent vers le portail du palais. Juste avant de franchir le seuil, Léa s'arrête.

– Regarde ! lâche-t-elle en désignant sur le sol les empreintes de larges pattes.

– Les loups ! souffle Tom. Ils seraient à l'intérieur ? C'est bizarre…

– Tant pis ! Il faut entrer, vite !

Tous deux s'engouffrent dans le grand hall, juste une seconde avant qu'un énorme soleil rouge n'émerge à l'horizon.

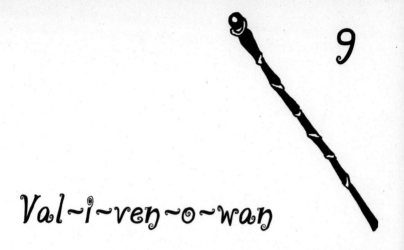

# Val~i~veη~o~waη

Tom et Léa se précipitent dans la salle du trône. Les murs et les planchers scintillent aux premières lueurs du jour.

– Oooooooooh ! lâche Tom.

Le sorcier les attend ; les deux loups blancs sont allongés de chaque côté de son trône. « Est-ce qu'ils lui appartiennent ? » se demande Tom.

Les loups se redressent et hument l'air. Ils pointent les oreilles. Quand ils découvrent Tom et Léa, ils sautent sur leurs pattes et fixent les enfants de leurs prunelles jaunes.

Le Sorcier de l'Hiver lui aussi dévisage les arrivants avec intensité :

– Eh bien ? Me rapportez-vous mon œil ?

– Oui ! répond Tom. en tremblant.

Léa sort le glaçon de sa poche et le tend au sorcier. Tom, lui, ne quitte pas les loups du regard, tandis que le glaçon passe de la petite main de Léa à la large paume du sorcier.

Celui-ci examine son œil, emprisonné dans la glace. Il se penche vers les enfants :

– Ainsi, vous êtes bien des héros !

– Oh… euh… C'est beaucoup dire…, bafouille Tom.

Le sorcier s'intéresse de nouveau à son œil. Puis, d'un geste vif, il cogne violemment le glaçon contre le bras de son trône. Tom et Léa lâchent une exclamation. À la deuxième fois, la glace craque.

Le sorcier saisit délicatement le globe oculaire entre ses doigts ; il le tient un instant devant son visage. Enfin, avec un cri de triomphe, il arrache le cache noir et enfonce l'œil dans son orbite vide.

Tom en reste bouche bée, aussi horrifié que fasciné.

Le vieil homme retient sa respiration. Il a deux yeux, à présent. Mais le deuxième paraît sans vie, comme s'il était toujours gelé.

Tom se sent de plus en plus inquiet : si l'œil ne fonctionne pas, l'inquiétant personnage tiendra-t-il sa promesse ?

Il balbutie :

– Nous… nous avons rempli notre… mission. Pouvez-vous nous dire où… où sont Merlin et Morgane ?

Le sorcier rejette la tête en arrière pour regarder Tom. De la main, il se couvre un œil, puis l'autre. Il se lève brusquement et se met à marcher de long en large avec agitation, couvrant et découvrant tour à tour ses yeux.

Finalement, il laisse retomber son bras et rugit :

– NON !

Sa voix roule dans la salle comme le tonnerre et fait vibrer les colonnes de glace.

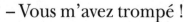

– Vous m'avez trompé !

– Ce n'est pas vrai ! proteste Léa.

– Cet œil est sans vie ! continue le sorcier. Il ne voit rien !

– C'est pourtant celui que vous avez donné aux Norns ! insiste la petite fille. On avait conclu un pacte : vous avez promis de délivrer Merlin et Morgane !

Les deux loups blancs tendent le cou vers le ciel et hurlent longuement.

– Non ! crie le sorcier. Vous m'avez trompé !

Tom tire sa sœur par la manche et lui chuchote à l'oreille :

– Fichons le camp d'ici !

Tous deux reculent vers les colonnes. Le sorcier glapit :

– Ah, vous croyez m'échapper !

Il saisit le Bâton de Pouvoir de Merlin. Les loups grondent. Le sorcier pointe le bâton vers les enfants. Il s'apprête à jeter un sort !

– Attendez ! crie quelqu'un.

Teddy fait irruption dans la salle.

Le sorcier se fige, le bâton en l'air. Il fixe le nouveau venu, le visage tordu par la rage.

– Nous avons quelque chose pour vous ! annonce le garçon.

Et il appelle :

– Kathleen !

Kathleen sort alors de derrière un pilier. Elle est accompagnée d'une jeune femme aux longs cheveux tressés. Un manteau de plumes blanches recouvre

ses épaules. Elle ne quitte pas le sorcier du regard ; un sourire radieux éclaire son visage. Lentement, elle s'avance vers le trône.

Le sorcier abaisse le bâton de Merlin. Il est devenu aussi blanc que la neige. Un long moment, il reste figé telle une statue. Puis une larme bleutée tombe de son œil gelé et roule sur sa joue.

Tom et Léa ont rejoint Teddy et Kathleen.

Ensemble, ils assistent à la rencontre.

– C'est sa sœur qui s'était transformée en cygne ? chuchote Léa.

– Oui, souffle Kathleen.

La jeune fille-cygne s'adresse à son frère dans une langue étrange :

– Val-i-ven-o-wan.

Le sorcier reste muet. Ses larmes ruissellent maintenant.

– Val-i-ven-o-wan, répète sa sœur.

– Qu'est-ce qu'elle a dit ? veut savoir Tom.

– « Je suis venue t'apporter mon pardon », traduit Kathleen.

Le sorcier se lève. Il descend les marches de l'estrade. Il passe doucement un doigt sur le visage de la jeune fille, comme pour s'assurer qu'elle est bien réelle. Il répond dans la même langue :

– Fel-o-wan

Tom questionne Teddy à voix basse :

– Comment l'avez-vous retrouvée ?

– Kathleen a interrogé les phoques. L'un d'eux nous a emmenés en nageant sous la glace jusqu'à l'île des Cygnes.

– Elle nous a confié combien son frère lui manquait, raconte la Selkie. Je lui ai parlé de vous, qui vous souteniez toujours l'un l'autre. Je l'ai persuadée de revenir et de se réconcilier avec lui.

Le sorcier et sa sœur continuent de

converser dans leur mystérieux langage. Un chaud soleil passe maintenant par les hautes fenêtres, et la salle brille de mille feux.

Léa s'avance et s'éclaircit la gorge :

– Hmm… excusez-moi… !

Le sorcier se tourne vers elle et déclare d'un air émerveillé :

– Ma sœur est revenue. Et je vois de nouveau avec mes deux yeux ! Je vois parfaitement !

– Tant mieux ! se réjouit Léa. Vous nous rendez Merlin et Morgane ?

Le sorcier interroge sa sœur du regard. Elle hoche la tête en signe d'assentiment. Alors le sorcier tend à la petite fille le Bâton de Pouvoir de Merlin :

– Ramène-les toi-même !

Le bâton est si lourd que Léa peut à peine le porter. Elle dit à son frère :

– Aide-moi !

Tom s'avance et empoigne la longue canne de bois ; elle est chaude et paraît vivante dans sa main. Les deux enfants lèvent le bâton magique et lancent :

– Merlin ! Morgane ! Revenez !

Un éclair bleu jaillit de la pointe du bâton et vient frapper tour à tour les deux loups blancs.

Aussitôt, leurs yeux jaunes se changent en yeux humains, leurs museaux en nez humains et leurs oreilles pointues en oreilles humaines. Les pattes de loup se font bras et jambes, les fourrures deviennent de longs manteaux.

Les deux loups blancs ont disparu. À leur place se tiennent un vieil homme et une femme aux longs cheveux blancs.

# La sagesse du cœur

– Merlin ! Morgane ! s'écrie Léa en se jetant dans les bras de la fée.

Teddy et Kathleen lâchent une exclamation de stupeur. Tom ressent un extraordinaire soulagement.

– Heureux de vous revoir, Messire, dit Teddy au magicien.

– Merci, petit ! Et un grand merci à vous deux, Tom et Léa !

– Si on avait su que les loups, c'était vous… ! dit Léa en riant.

– Nous vous suivions, au cas où vous

auriez besoin d'aide, explique Morgane.

– Le sorcier nous avait fait croire que, si vous nous rattrapiez, vous nous mangeriez ! raconte Tom.

– Vraiment ? fait Morgane en se tournant vers le vieil homme.

Debout près de sa sœur, celui-ci hoche la tête d'un air confus :

– Je craignais qu'ils devinent tout s'ils s'approchaient trop de vous. Mais je promets de ne plus jamais causer de malheur. Car j'y vois clair, désormais.

Il regarde la jeune fille, et ses yeux bleus sont emplis de bonheur.

La fée déclare :

– Vous n'avez pas seulement récupéré votre œil ; vous avez aussi retrouvé votre cœur. Or on voit avec le cœur autant qu'avec les yeux !

– Maintenant, peut-être découvrirez-vous la sagesse que vous avez demandée aux Norns, intervient Merlin.

Le Sorcier de l'Hiver ouvre les bras :

– S'il vous plaît, ayez vous-mêmes la sagesse de me pardonner ! Et utilisez mon traîneau d'argent pour retourner chez vous sains et saufs !

– Merci, dit Morgane. Nous devons en effet vous quitter. Nous avons été absents de Camelot trop longtemps.

– La prochaine fois que vous vous rendrez à Camelot, mon ami, déclare Merlin, que ce soit en invité, non plus comme un voleur dans la nuit !

– Et amenez-nous votre sœur ! ajoute la fée.

– Nous viendrons, promet le sorcier.

Merlin interroge les quatre enfants :

– Êtes-vous prêts au départ ?

– Oui, Messire ! répondent-ils en chœur.

Tom s'aperçoit alors qu'il tient toujours le bâton de Merlin. Rougissant, il le tend au magicien :

– Oh, pardon !

Dès que Merlin a refermé la main sur son Bâton de Pouvoir, il retrouve toute son autorité :

– En route ! ordonne-t-il.

Merlin et Morgane, leurs manteaux rouges flottant derrière eux, sortent de la salle du trône. Teddy et Kathleen leur emboîtent le pas ; Tom et Léa se dépêchent de les suivre.

Juste avant de quitter le palais, les enfants jettent un dernier regard au sorcier et à sa sœur. Ils sont de nouveau plongés dans une conversation animée.

– Ils doivent en avoir, des choses à se raconter ! dit Léa. Ils étaient séparés depuis si longtemps !

Tom approuve. Lui, il n'arrive pas à s'imaginer vivant loin de Léa pendant des années.

– Vite, partons d'ici !

Il prend sa sœur par la main et l'entraîne hors du palais, dans le petit jour glacé. Avec leurs amis de Camelot, ils se dirigent vers le traîneau.

Lorsque tout le monde est à bord,

Léa prend le gouvernail. Tom défait un à un les nœuds de la ficelle. Le véhicule bondit en avant.

– Cramponnez-vous ! crie le garçon.

Tandis que le vent de la course leur siffle aux oreilles, Léa s'adresse aux deux magiciens :

– J'ai une question : pouvez-vous nous dire à quoi ressemble le Géant de Glace ?

Merlin sourit :

– Il n'existe pas de Géant de Glace.

– Quoi ? lâchent Teddy et Kathleen.

– Bien sûr que si ! proteste Léa. Nous l'avons entendu respirer.

– Il a failli nous geler jusqu'aux os ! enchérit Tom.

– La nuit, explique Merlin, le vent souffle souvent en ouragan autour de la Colline Creuse. C'est une tempête de ce genre que vous avez essuyée.

– Alors, pourquoi les Norns nous ont-elles raconté qu'elles avaient donné l'œil du sorcier en cadeau au Géant de Glace ?

– Les peuples anciens considèrent les forces de la nature comme des créatures monstrueuses, leur révèle Morgane. Les Norns sont les dernières de leur espèce. Elles tiennent à la croyance qui veut qu'un

Géant de Glace hante la Colline Creuse.

Tom secoue la tête :

– Nous avons cru ce que croyaient les Norns. Elles nous ont dit que nous serions gelés à mort si nous regardions le géant.

– Nous avons cru aussi ce que nous a dit le sorcier, ajoute Léa : que les loups blancs nous mangeraient si nous les approchions !

– Bien des gens veulent nous convaincre que le monde est plus effrayant qu'il ne l'est, commente Morgane.

À cette heure, plus rien ne paraît effrayant à Tom : le petit matin est tranquille ; des rayons dorés passent entre les nuages.

– À partir d'aujourd'hui, dit Morgane, les jours commencent à rallonger, la lumière revient.

Tom tourne les yeux du côté du soleil levant. Il aperçoit la cabane magique, non loin de là, en haut d'une congère.

Le garçon refait un nœud à la ficelle,

puis un deuxième, un troisième… Le traîneau ralentit et s'arrête au pied de la butte de neige.

Merlin déclare d'un ton solennel :

– Mes enfants, en ce solstice d'hiver, vous avez montré un grand courage. Vous avez enduré la tempête, affronté le froid et la peur. Grâce à vous, le Sorcier de l'Hiver est réuni avec sa sœur-cygne. Et – le plus important de tout ! – j'ai retrouvé mon Bâton de Pouvoir ! Je vous remercie.

– Ce… ce n'est rien, bafouillent Tom et Léa, un peu embarrassés par tant de compliments.

Le magicien poursuit :

– Vous avez beaucoup fait pour le royaume de Camelot. Votre prochaine aventure se déroulera dans votre monde, et non plus au temps des légendes et de la magie.

– Nous vous ferons bientôt signe, promet Morgane.

– Super ! se réjouit d'avance Léa.

Elle et son frère sautent du traîneau. Ils saluent Teddy et Kathleen.

– J'espère que vous serez là pour nous aider dans notre nouvelle mission, leur crie Léa.

Ils entreprennent de gravir la pente raide. Arrivés au sommet de la butte, ils entrent dans la cabane par la fenêtre. Lorsqu'ils se retournent, le traîneau est déjà loin.

– Au revoir, murmure la petite fille.

Tom ramasse la pierre grise sur le plancher. Il pose son doigt sur les mots « Bois de Belleville », il ferme les yeux et prononce les mots rituels :

– Nous souhaitons être ramenés chez nous !

Le vent se met à souffler, la cabane à tourner. Elle tourne plus vite, de plus en plus vite. Le vent hurle.

Puis tout s'arrête, tout se tait.

Tom ouvre les yeux. Ils sont de retour. Comme à l'ordinaire, le temps n'a pas passé pendant leur absence. C'est bientôt la nuit ; dehors, de gros flocons de neige tombent sans bruit, comme des plumes.

Léa frissonne :

– Brrrr ! J'ai froid.

– Tiens, prends mon écharpe !

– Mais non, tu en as besoin.

– Non, ça va, prends-la !

Tom enroule l'étoffe de laine autour du cou de sa sœur :

– Qu'est-ce que tu vas dire à maman si elle te demande où est la tienne ?

La petite fille déclare avec le plus grand sérieux :

– Je lui dirai que je l'ai donnée aux Sœurs de la Destinée, en échange de l'œil du Sorcier de l'Hiver caché dans la Colline Creuse, naturellement !

– Naturellement ! approuve Tom en riant.

– Bon, dit Léa. Si on veut être à la maison avant la nuit, on ferait bien de se dépêcher !

Elle descend vite par l'échelle de corde ; Tom la suit.

Une fois au pied du chêne, Tom se souvient qu'il a gardé la ficelle-à-vent. Il la sort de sa poche et murmure :

– Je suppose que Merlin aura ramené le traîneau à Camelot grâce à la magie…

Les enfants restent un moment à regarder la ficelle. Puis Léa chuchote :

– Défais un nœud… !

Tom ôte ses moufles et défait un nœud. Il attend en retenant son souffle. Rien ne se passe. Il échange un petit sourire avec Léa :

– Dans notre monde, ce n'est qu'un bout de ficelle.

Il la remet dans sa poche, et ils s'engagent dans le sentier enneigé. Tout en marchant, ils cherchent les traces de pas de Teddy et de Kathleen, mais la neige les a effacées.

Les enfants sortent du bois et remontent leur rue. Derrière les vitres des maisons clignotent les guirlandes des sapins de Noël.

Ils traversent leur jardin. Devant les marches du porche, Tom s'arrête, stupéfait : l'écharpe rouge de Léa est accrochée à la balustrade.

– Je n'y crois pas ! souffle le garçon.

– Moi, j'y crois ! s'écrie la petite fille.

Elle escalade les marches en courant, saisit son écharpe et crie :

– Regarde !

Elle déroule la bande de laine rouge pour la montrer à son frère. Au milieu, un motif de couleur est tissé. Il représente Tom et Léa en compagnie des deux loups blancs. Tom en reste sans voix.